VUES DE DOS

뒷모습

Vues de dos
by Michel Tournier & Edouard Boubat

VUES DE DOS

뒷모습

미셸 투르니에 글
에두아르 부바 사진
김화영 옮김

현대문학

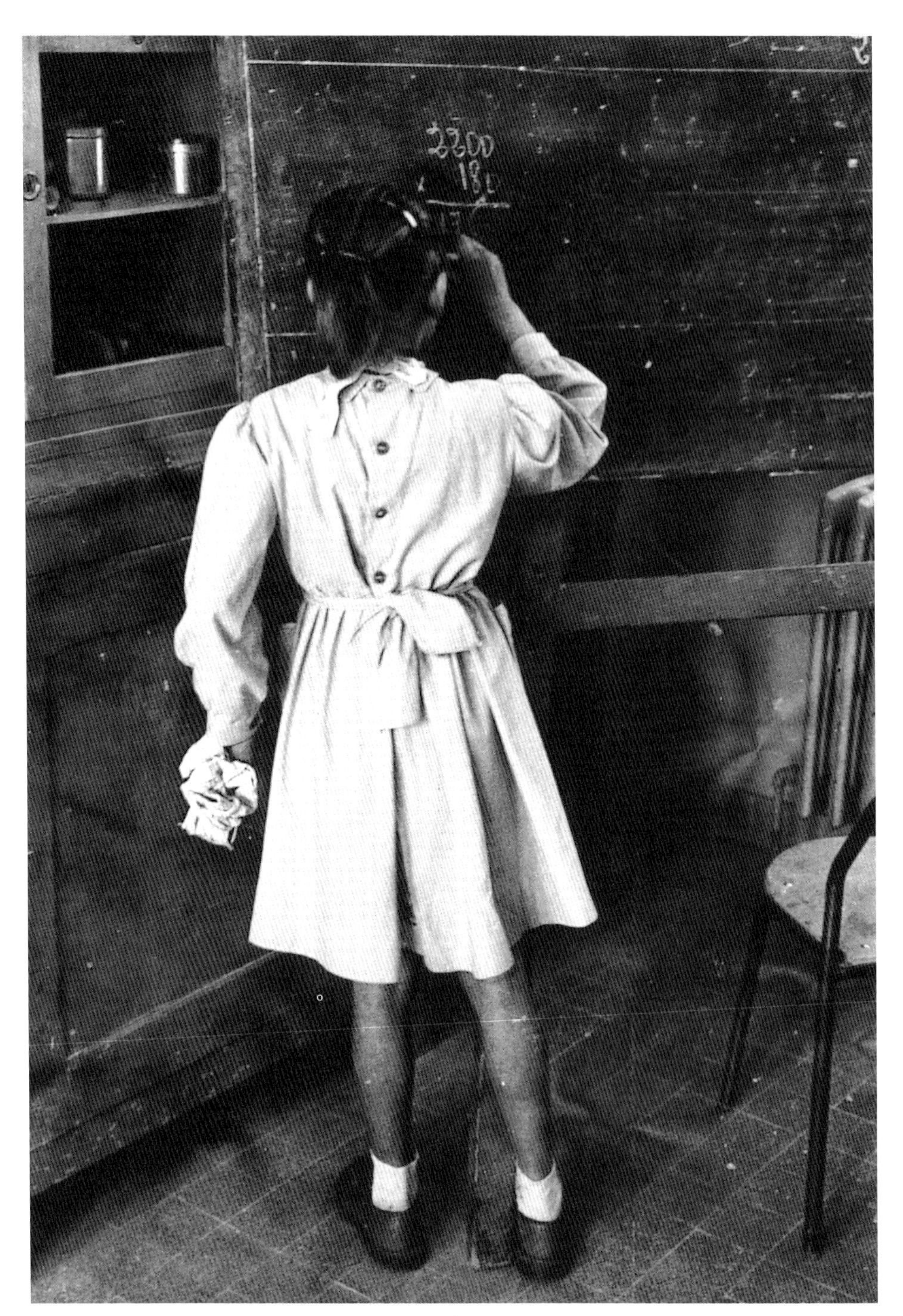

프랑스

Pile est la vérité!

뒤쪽이 진실이다!

남자든 여자든 사람은 자신의 얼굴 모습을 꾸며 표정을
짓고 양손을 움직여 손짓을 하고
몸짓과 발걸음으로 자신을 표현한다.
그 모든 것이 다 정면에 나타나 있다.
그렇다면 이면은?
뒤쪽은? 등 뒤는?
등은 거짓말을 할 줄 모른다.
너그럽고 솔직하고 용기 있는 한 사람이 내게로
오는 것을 보고 난 뒤에 그가
돌아서 가는 모습을 보면서
나는 그것이 겉모습에
불과했음을 얼마나 여러 번
깨달았던가. 돌아선 그의 등이
그의 인색함, 이중성, 비열함을
역력히 말해주고 있었으니! 동성애자들은
멋진 인조 유방을 만들어 붙일 수 있지만
견갑골은 그들이 남자임을 숨기지 못한다.
인간의 뒷모습이 보여주는 이 웅변적
표현에 마음이 쏠린
화가는 한둘이 아니다.
오노레 도미에는 특별히 매혹적인
것을 표현하는 수단을
등뼈의 조형성에서 발견했다.
미끄러운 밧줄을 타고 오르는 사람을
그린 그의 작품은 건장한 몸의 역동성을
표현한 걸작이다. 그러나 그는 또한
사분의 삼 정도 고개를 돌린
얼굴을 즐겨 그렸다. 순수한 옆모습에서
볼 수 있듯 아예 오른쪽이나 왼쪽으로
돌린 채 고정된 모습과 달리
피사체 심도의 무한을 향해
목에서 코끝으로 뻗은 힘의 선을
그런 자세가 잘 드러내주기 때문이다.
뒤쪽이 진실이다!
이 작은 책이 쉰세 개의 영상들을
통하여 탐사하고자 하는 것은
바로 그 등 뒤의 진실이다.
이것은 하나의 체험이다.
또한 이 영상들은 에두아르 부바의
작품들이기에 거기에 담겨 있는
해학, 사랑, 그리고 아름다움에서 오는
그 감칠맛 나는 즐거움을 음미할 기회이기도 하다.

Pourquoi?

왜?

땅에서 밀과 보리와 벼를 거두어들이는 것이 천직인
저 사람이 왜, 남들에게 자양을 공급하는
저 사람이 왜, 자신은 저토록
영양실조로만 보여야 한단 말인가?
그가 등에 진 나무 쟁기는 왜
저 소들의 앙상한 엉덩이뼈를
저토록 완연히 닮아야 한단 말인가?
어깨 위에 비스듬히 걸머진
저 노동의 도구가, 보는 사람의 눈에는
왜 나무로 다듬은 또 다른 도구를,
고문과 사형 집행에 쓰이는 또 다른 도구를
이토록 집요하게 연상시킨단 말인가?
여기가 배고픔과 신성한 존재의 나라
인도이기 때문이 아니라면 왜?

인도

온통 꽃동산인 저 떡 벌어진 등짝은 이젤 위의 화폭 속에 그려져 있지 않다. 그러므로 이것은 화가와 그림이 함께 화폭 속에 담겨서 거울에 반사되고 또다시 반사되듯 무한히 반복되는 형식인 '격자 구조'*는 아닌 셈이다.
그렇다, 이것은 그것과는 다른 것이다. 부인은 앞을 바라보며 그림을 그린다.
이쪽에서 잘 보이는 화폭 덕분에 우리는 이미 우리가 보아서 알고 있는 것을 재확인한다. 우리의 시점과 부인의 시점이 우리에게 제공하는 광경은 부분적으로만 겹친다. 우리 눈에 보이되 부인의 눈에는 보이지 않는 것—우선 그녀의 등—이 있는가 하면 부인의 눈에는 보이되 우리의 눈에는 보이지 않는 것도 있다.
그런가 하면 우리 눈에도 보이고 그녀의 눈에도 보이는 것도 있다.

틀림없이 이런 거울 유희로 해서 사진의 깊이와 구조적 복잡성이 한층 증대된다.
이런 방식을 활용한 대가는 독일의 낭만주의자 카스파르 다비트 프리드리히(1774~1840)였다. 그는 흔히 등을 돌리고 있는 관찰자를 풍경화의 전경에 배치시켜서 풍경과 그림의 감상자 사이의 중계자 역할을 맡게 했다.
그러나 그는 이런 기법을 개선 발전시킨 결과 어떤 그림에서 보면 여러 인물들이 각기 차지하는 자리나 나이나 증인으로서의 조건에 따라 서로 다른 비전을 암시하기에 이른다.
가령 〈인생의 세 가지 시기〉 같은 작품에서는 다섯 척의 배가 항구로 돌아오는 광경을 다섯 명의 인물이 바라보고 있다.
이렇게 하여 그 작품은 다섯 가지의 눈에 보이지 않지만 매우 효과적인 주관적 시각과 조망을 보강하게 된다.

* mise en abyme. 어떤 작품(그림, 소설, 영화 등) 안에 그 작품과 동일한 이미지나 줄거리를 압축한 구조를 담고 있는 형식을 말한다. 귀족 가문의 방패형 문장紋章의 중앙부 도안이 그 역시 방패형인 에에서 착안하여 소설가 앙드레 지드가 처음 사용했던 미학적 용어다.

노르망디

Pousser, tirer

미는 것과 당기는 것

배가 있고 뱃사공이 있다면, 인간의
입장에서는 배를 미는 것이
나을까, 당기는 것이 나을까? 카이로에서
알렉산드리아로 가는 운하에서 무거운
짐을 실은 펠루카선을 뒤에 달고
허리가 휘도록 배를 끌며 예인로 위를 걸어가는
뱃사람들을 나는 보았다.
기이하게도 밧줄이 배의 돛대
꼭대기에서 밑으로 뻗어 있었다.

그리하여 정말이지 밧줄에 매인 채 몸을
앞으로 굽히고 한 걸음 한 걸음 나아가는 이
사람들은 너무나도 짐승을 닮아 보였다.
잡아끄는 일을 하는 짐승의 특징이 뒤에 뭔가
달아매고 있다는 점이니까.
적어도 일을 할 때는 말이다.
과연, 집 안에서 자유롭게 돌아다니며
지내는 개는 들어오거나 나갈 때 문을
'미는' 것을 이내 배운다. 그로서는
문을 잡아당겨 여는 것은 불가능하다. 따라서
이런 결론에 도달한다. 즉 미는 행위는
일하는 사람으로 하여금 언제든 손 놓고
내버려둔 채 가버릴 자유를 누리게
해준다. (그 무슨 어리석은 고집으로 시시포스는
한사코 그의 바윗덩어리를 떠밀어 올리기만 하는
것인지 나는 늘 궁금했다.) 반대로 앞에서 당기고
끄는 것은 노예의 일이다. 나자레 해변의 이
포르투갈 사람들에게는 다행스러운 면이
한 가지 더 있다. 이 사람들은 오직 배를
진수하기 위해서, 그러니까 잠시 후에는
노동에서 벗어나기 위해서 배를 밀고 있는
것이다. 미는 행위에는 저쪽으로 몰아낸다는
의미가 담겨 있으니까 말이다. 반면에
당기는 사람은 무거운 짐을 계속 자기 쪽으로
가져오고 있는 것이다.

포르투갈

희고 부드럽고 무르익은 이 살덩이와
후끈한 습기로 팽창한 이 열대식물의
무거움은 분명 어딘가 서로
닮은 데가 있다. 기름진 식물과 살진 몸.
자극적인 냄새와 축축한 피부.
이렇게 닮은 모습이 보기 좋다.
본래 처녀림에는 검고 건조한 몸들이 깃들어
살지만 그런 몸엔 오히려
사막의 모래와 자갈이 제격이고
우유처럼 희고 살집 좋은 나체를 보다
잘 감싸주는 것은 처녀림이기에.
그러므로 이 사진은 그 모델이 되어준
두아니에 루소의 〈꿈〉보다 한 수 위다.
루소의 그림에서는 보다 더 젊고 보다 더 날씬한
여자가 피리 부는 흑인을 대동한 채
앞모습을 보이고 있다.

파리

La prière

기도

구약성서에서 인간에게 나타난 신은
얼굴을 드러내지 않는다. 시나이에서
신의 존엄은 모세의 눈이 부시지 않도록
구름에 싸여 있다. 요컨대 신이 인간에게
기대하는 것은 사랑보다 두려움이다.
신 앞에서 인간은 둥글게 등을 구부리고
그 왜소함 속으로 빠져든다. 그리하면
인간은 신의 분노를 피하는 데 유리하다고 믿는다.
기독교의 혁명은 기도자의 자세와도
무관하지 않다. 두려움 대신 사랑이
자리한다. 타보르산상에서 예수가
베드로, 야곱, 요한에게 그 신성하고
찬란한 모습을 드러내시니, '해처럼 아름답게' 변한다고
복음서는 말한다. 인간의 얼굴이
그리스도 강생의 성스러움으로 빛난다.
영상을 짓누르던 저주에
성스러운 땀이 종지부를 찍는다. 예수는
인간을 일으켜 세우고 검지로 턱을 받쳐
땅으로 숙였던 얼굴을 들게 한다.

인도

정신없이 돌아가는 패션쇼의 법석 가운데
우아함과 은근히 에로틱한
유머의 짧은 한순간.
의상 모델이 된 여자,
의상 속으로 모습을 감추고 숨어
자기를 희생하고
완전한 헌신을 약속해야 했기에
모질게 혹사당하는 몸이 되었던 여자,
그 몸이 문득 본래의 모습으로
되돌아와 제 존재와 매력을 회복하는 것은……
등 돌려 뒷모습을 보이기 때문이다.

파리

Apothéose potagère

채소밭 예찬

우선 정원사가
등을 보이고 있으니 과연 '뒷모습'이다.
양손에 든 물뿌리개의—분명 비어 있을—
무게보다는 나이 때문에 등이
구부정해진 노인은 정원 가꾸는 일만
생각하며 느릿느릿 나막신 신고
걸어간다. 그의 옆에 이어지는 저 이끼 낀
난간은 더욱 은성했던 시절을 말해준다.

아름다운 부인들과 멋진 신사들이 이곳을
거닐며 담소할 때 발아래로 펼쳐진 화단 저 끝
분수에서는 돌로 새긴 반수신이 그들에게
손짓하였지. 사실 이 사진의 진정한
'뒷모습'은 이제 채소밭으로 변해버린
지체 높으신 분의 정원이리니.
한 뙈기 양파밭 배추밭, 완두콩 넝쿨 뻗는
지주들이나 한 뼘 감자밭은 사실상 그 무용한
아름다움을 자랑하던 기품 어린 정원의
하찮은 식재료 공급용 무대 뒤가 아닌가.
그러나 보라, 여기 귀빈석에 무명의 신데렐라가
당당히 자리 잡는다. 이 무슨 너그러운
전도 현상인가, 한갓 채소밭이 문득
화려한 난간과 조각상과 분수를 거느렸으니
—묘판에는 가득히 돋은 어린싹들. 그리하여
이 화려함은—구릉 진 들판과 그 주위의
높이 자란 숲 또한 합세하며—친근한 고귀함,
푸근한 위대함, 그윽한 부드러움을 장엄하고
정답게 발산하고 있구나.

오베르뉴

La fillette et les deux ours

소녀와 두 마리 곰

졸고 있는 이 사내의 볼품없는 모습을 보며
이 소녀는 무슨 생각을 하는 것일까?
남자들은 여자들 앞에서 부끄러운 줄 모르고
잠을 잘 수 있다. 사랑을 하고 난 뒤에 오는 진정한
잠은 사랑의 감미로움과 꿈을 연장해준다.
그러나 낮잠이란! 그러나
너무 배불리 먹고 난 뒤의 저 식곤증의
무기력함이란! 여기서는
섹스보다, 사랑보다 부른 배가 먼저!
소녀의 눈에 그는 추해 보인다. 그래서
한 발자국도 더 다가가고 싶지 않다. 분명 안 좋은
냄새가 날 테니. 코 고는 소리만 들어도 지겹다!
그렇지만 아프리카 여인이 아기를 업듯 등에 업은
털북숭이 아기 곰과는 떨어질 수 없다. 그 수컷 인형은
꼭 필요하다. 말을 걸고 보살펴주고 마음속으로
죽을 먹이고 때로는 맴매도 해야 하니까. 이 폭신한
가짜 아기가 있어야 마음과 손을 훈련할 수
있으니까. 소녀는 아직 모른다—곧 알게
되겠지—이쪽과 저쪽은 서로 통한다는 것을,
즉, 가냘프지만 부서지지 않는 어떤 다리가
두 마리의 곰, 털북숭이 곰과 잠든 곰을
서로 이어주고 있음을.

튈르리 공원, 파리

저 남녀는 가난한 사람들일 것이다, 틀림없이!
부자들은 아예 수영을 한다.
그러려고 필요한 남녀용 수영복을
갖추고 있는 것이다. 수영복의 표면적은
그걸 가진 사람의 재산에 반비례한다. 그래서
아주 큰 부자들은 완전히 벌거벗고 헤엄친다.
부자들은 수영도 할 줄 아니까.
가난한 사람들은 부끄럼을 타고, 추위를 타고
겁이 많다. 그래서 세상의 첫날처럼,
그래서 세상의 마지막 날처럼, 머뭇거리며
앞으로 나아가본다. 남자는 양말을 신은 채, 여자는
스커트를 걷어 올린 채. 그러나 놀이의 즐거움과
정다움 덕분에 이 한때는
영원히 잊지 못할 순간이 될 것이다.

코트다쥐르

Les cheveux

머리털

머리털은 뒤에서 보아야 하는 것임을
누가 모르겠는가? 앞에서 보면 얼굴이
자리를 다 차지하고 모든 관심을 끌기에,
머리털은 위쪽, 왼쪽, 오른쪽으로 밀려나
그저 한낱 사진틀인 양, 그 얼굴
돋보이게 하는 것이 존재 이유다.

뒤에서 보면 순전히 머리털만 펼쳐진다. 사실
이것이 바로 멋 부리기의 함정이니, 머리 손질을
한다는 것은 바로 뒤에서 보이는 모습에
전념하는 것. 여기엔 어느 정도 자기희생이
따른다. 멋들어진 머리털—양어깨 위로
출렁이는 파도가 되어 쏟아지며
드넓게 굽이치는 머리숱이나 독사 떼처럼
몸을 뒤트는 잘고 단단하게 땋은 머리—이
그렇게 머리 빗은 아이에게
여간 아닌 인내심을 요구하니 더욱 그렇다.
시인 생존 페르스는 말한다.

그대가 내 머리를 다 땋고 나면
나는 결국 그대를 미워하고 말리라.

그것은 타인의 존재가 가하는
가장 모진 횡포. 나는 나를 위해 세수하고
나를 위해 옷을 차려입는다.
나는 너를 위해 머리를 매만진다.
반대로 수도자, 병사, 수인의
배코머리는 비인간적 규율의 질서를
위해 타자와의 자연스러운 사회적 관계의
단절을 드러낸다.

식물원, 파리

그렇고말고, 사람의 몸은
본래 그렇게 만들어진 것이어서
누군가를 '품에 안는다'고 할 때
그것은 어쩔 수 없이 그의 등 뒤로
두 손을 마주 잡는 것이 된다. 두 사람이
얼굴을 서로 맞대고, 그들의 볼록하고
오목한 곳을 서로 맞물리도록 꼭 붙이게 되면
그 뒤쪽—목덜미, 등, 허리, 엉덩이—은
탐색하고 점유하는 지역으로 변한다.
요컨대 거기서 두 손이 하는 일을
사진 찍으면 기밀 누설이 될지도 모른다.
그러나 여기서는 치렁치렁 흘러내린 머리채가
포옹 그 자체만을 따로 떼어내고 카네이션꽃이
그 포옹을 장식하고 정지시킨다.

스톡홀름

L'Anatopisme

아나토피즘

갈매기들 점점이 떠다니는
회색 하늘. 브르타뉴의 고깃배들.
부두에는 쇠사슬과 밧줄 매는 계주 사이에
아랍 여인 셋. 모로코의 에사우이라에서
찍은 사진이라고 한다. 그래서 이 여인들의
실루엣. 그러나 브르타뉴의 작은 어항
오디에른에서 찍은 사진일 수도 있을 것이다.
여기서 우리는 아나토피즘이란
말을 지어내도 좋지 않을까?

아나토피즘이란 그러므로 공간상에서
시간상의 아나크로니즘anachronisme에 상응하는 것
일 터. 아나크로니즘은 시간 순서의 위반.
셰익스피어의 희곡 〈줄리어스 시저〉에 대포가
등장하는 것이 그 예다.
아나토피즘은 지리(위상)상의
위반. 네덜란드나 독일 화가가 자기 고향 도시를
배경으로 성탄의 말구유를
그린 그림이 그 예다. 그 그림의 인물들이
화가와 동시대 사람들의 옷차림을 하고 있다면
아나토피즘에 아나크로니즘이 더해지는 셈.
사물도 사람도 건드리는 일 없이
눈에 보이는 그대로 사진을 찍는
에두아르 부바 같은 작가에게
아나토피즘은 우연이 몸소 다가와 그에게 건네는
어떤 기호, 어떤 자발적 선물의 의미를 갖는다.
이쯤 되면 우연은 신의 섭리 같아진다.

에사우이라, 모로코

Pédophories

아기 업기

유럽 사람들과 어떤 아메리카 인디언들은
아이를 왼쪽 팔로 받쳐 안는다. 말을 타듯
허리 위로 두 다리를 벌려 걸치게 하여 아이를
안는 방식은 더운 나라들 거의 모든 곳에서
볼 수 있는 풍습이다. 그런 곳에서는
아이를 포대기에 싸서 안으면
안 되기 때문이다. 그것이 아이에게는
가장 편리한 자세다. 곧장 젖으로 입을
가져갈 수 있으니까. 아이를 등에 업는 방식은
유럽을 제외하고 어디서나 다
볼 수 있다. 아프리카에서는 적어도
이집트 중기 제국(기원전 2000년) 때부터 관찰된다.

아이누족과 보토쿠도족은 아이를
등에 업고 업은 사람의 이마에 띠를 걸어
힘을 분산시키는 기술을 활용한다.
노르웨이, 아이슬란드, 북극 주변 지역—라플란드,
핀란드, 시베리아, 북아메리카 인디언—에서는
주로 아이를 끈으로 비끄러맨 가벼운 요람을
어깨에서 허리로 비스듬히 둘러멘다.
오스티아크와 라플란드 여인들은 요람을
둘러멘 채 이동하고 일을 한다. 아이를 아기 자루
에 담아 등에 지는 풍습은
중앙아프리카에서 볼 수 있는데
이때 아기 자루는 오른쪽 어깨에 둘러멘다.
중국과 일본에서는 띠나 끈이 아이 업은 여인의
가슴께에서 교차하는 것을 볼 수 있다. 저고리의
아주 넓은 등에 아이를 올려놓고 다니는
에스키모의 경우 양쪽 어깨와
젖 위쪽 가슴으로 힘이 분산된다.

홍콩

L'ange oublié

잊혀진 천사

저들 어른들은 대체 무얼 보고 있기에, 저토록
심각한 것일까? 그 무슨 속된 구경거리에
저토록 절박하게 팔려 있기에, 저들은 단 하나
중요한 것을, 잊혀진 채 무시당하고 뒷전이 된
이 어린 천사를 보지 못하는 것일까?
우리는 얼마나 여러 번 어리석은 즐거움들을 좇아
무작정 달리곤 하는가, 우리를 기다리는
천사가 등 뒤에 와 있는데.

리스본, 포르투갈

Le chant du monde

세상의 노래

구내식당에서 식사를 끝내고 다시 일터로
돌아가기 전, 공원에서 잠시 쉬어가는 짬을
메울까 하고 책을 한 권 들고 나오긴
했었다. 그랬는데, 아니지, 이거야 원,
돋아나는 어린싹들에 내려앉는
햇살, 살며시 움트는 은방울꽃 새순, 먼지
속에서 모래를 뒤집어쓰는 참새들, 축복을
내리는 손처럼 바람에 흔들리는 마로니에 가지,
정오의 하늘에서 흘러내리는 나른한 무기력,
약간 쓸쓸하지만 그래도 세상만사에 낙관하는
행복, 그런 모든 것이 다 한순간의
묵상거리가 되었다. 멀리서 들리는 자동차 소음에도,
지나가는 행인들에도, 사진 찍는 사람에게도,
이 페이지의 독자인 우리들에게도 등을
돌린 채. 책은 물론, 이 모든 훼방꾼들이
지금 그에겐 다 귀찮을 뿐이다. 그는 세상의
뭇 생명들이 나직이 고동치는 소리에
까무룩 빠져든다.

식물원, 파리

Lignes

선線

그물의 곡선, 바위의 곡선,
모자의 곡선. 수평선의
직선. 전경의 주름진 물은
바위 저 너머 하늘에 닿는
깊이 모를 바다의
덩치에 화답한다. 이미지의
중심축인 양 엄격하게 수직으로
우뚝 선 그물자루.
사실 이 사진에서는 추상적 구조와
그 선적 골격이 너무나
뚜렷하게 드러나고 있어서
그 구체적인 겉모습은
오히려 부차적인 것에 불과해진다.
거기에 우연인 듯 불쑥
나타난 이 조그만 고기잡이 아낙에게
누가 관심인들 가지겠는가?

포르투갈

L'amour et le navire

사랑과 돛단배

이 사진은 심리 테스트용 실험지로
써도 좋겠다. 특히 사랑의 심리 테스트를 위한.
분명, 전경의 작은 돛단배가 이 장면의
설명문이 되어주니까.
질문 : 당신이 보기에 이 돛단배는 무엇을
의미 혹은 상징할까요?
—서로 사랑하고 있어요. 이제 결혼해서
신혼여행을 떠나겠군요.
아마도 돛단배를 타고……
—서로 사랑하고 있어요. 하지만 어쩌나,
사랑의 배가 그만 코를 처박네요. 머지않아
맞게 될 난파의 예고예요.
파도에 휩쓸려 물에 빠지다fluctuat et mergitur.
—머지않아 아이를 갖겠군요. 때마침 나타난
이 장난감이 상기시켜주네요. 피임약과 임신중절
풍속에도 불구하고 사랑은 출산과 일정한 관계를
유지하고 있음을.
—영화 팬들은 마르셀 파뇰의 영화 〈마리우스〉를
생각하겠지요. 남자 주인공 피에르 프레네가
배와 바다에 대한 사랑을 못 이겨 그만
여주인공을 버리잖아요.
—아니, 이들 남녀와 돛단배가 철책을
사이에 두고 서로 분리되어 있는 게 안 보이나요?
저쪽 원경에 아이들이 타는 회전목마가 안 보여
요? 포옹한 연인들 한 쌍, 그들 뒤에는 울타리에 막
혀 접근이 불가능한 도피의 돛단배. 그들 앞에는
아이들의 회전목마가 빙글빙글 돌아가고……
그러나 이건 분명 지나친 해석이겠죠. 풀이할 수
없는 숱한 비밀과 상징들로 가득한 아름다운 장면
이니, 그저 한 번 눈길 던져 가만히 바라볼 뿐.

뤽상부르 공원, 파리

말해봐요, 할머니, 그렇게 허리를
구부리고 가는 것은 땅바닥에 떨어뜨린
청춘을 찾으려는 건가요, 아니면
등을 짓누르는 세월의
무게가 너무 무거워서인가요?
말해봐요, 할머니, 할머니는 지팡이가 세 개인가요,
다리가 세 개인가요?
말해봐요, 할머니, 그 무슨 시신에
성수를 뿌려주려고 회양목 가지를
옆구리에 끼고 가나요?

바랑주빌, 노르망디

L'amitié

우정

가정에는 나이, 성性, 권위가 각기 다른
완전히 이질적인 인물들이 모여 있다.
아빠, 할머니, 엄마.
동생, 누나…… 이들에게는 각자의 지위와
특권이 있다. 열정, 사랑, 시샘, 공모, 질투, 정
등등의 세상인 이 생물학적 환경에는
정의가 끼어들 자리가 없다.

학교에 입학하면서 모든 것이 달라진다. 어린이는
거기서 나이, 성, 권리가 동일한
사회집단—학년—을 만난다. 이곳을 지배하는 것
은 정의다.
가정에서 반항하는 아이는 외친다.
"나만 미워해!"
학교에서 아이는 외칠 것이다. "부당해!"
매우 다른, 어쩌면 상반된 외침이다.
그렇다고 학교가 감정적 관계가 배제된
사회라는 것은 아니다. 여기서 감정적 관계는
성질이 다르다.
여기에는 사랑이 끼어들 자리가 없다.
반대로 정의와 지적 노력으로 이루어진
이 공동체적 분위기에서는 우정이 피어난다.
모든 강렬한 감정이 다 그렇듯 우정은
사회집단의 박해를 받는 것이 사실이다.
그러나 우정에는 비밀과 배타적 결속이 있다. 우
정은 이 두 장의 사진에서처럼, 타인들에게 등을
돌리는 방식을 통해서 그 구체적 본질을 드러낸다.

파리

흰 대리석 남녀 한 쌍이
살아 있는 저 작은 한 쌍을 지켜보고 있네.
필레몬과 바우키스, 트리스탄과
이졸데, 로미오와 줄리엣……
이 후견인 격인 위대한 연인들이 우리의
초라한 사랑을 비춰주고 인도하나니.
카페의 카운터 담당 아가씨가 커피 나르는
청년에게 "사랑해" 하고 말하면, 그들은
서로의 마음을 헤아리지만, 만약 플라톤이
『향연』을, 괴테가 『베르테르』를 쓰지 않았더라면
(그들이 그 둘 중 어느 책도 읽지 않았다 해도), 그 말로
둘 다 마음속에 똑같은 생각을 하지는 못했으리.
신화는 우리에게 말을 가르쳐주고 석상은
우리에게 벌거벗음을 가르쳐주고,
신화의 주인공들은 우리에게 어느 정도 강렬한 감정은
사회질서를 거슬러야 하는 것임을 깨닫게 해주나니,
같은 사무실에서 일하는 타이피스트가
경리 담당 사내에게 말한다네.
"우리처럼 평범한 사람들이 이토록
엄청난 열정을 살아낼 줄은 상상도 못 했어."
뭉클하고 심오한 이 한마디는
상상의 초인이 우리의 손을 툭 건드리며
귀띔해주는 그 뜨거운 열광의 신비함이라네.

생클루 공원, 파리

L'andain

풀베기

풀베기의 경쾌한 만족감.
리듬의 맛,
오른쪽에서 왼쪽으로 흔드는
두 팔—한편, 왼쪽에서 오른쪽을 향해
반대로 움직여 균형을 잡는 몸—
풀베기 연장의 날이
꽃과 꽃받침과 줄기들의 무더기 진 풀 더미
속으로 깊숙이 파고들어, 화본과 식물의 연한
살을 싹둑싹둑 잘라내어
왼쪽에 깔끔하게 쌓아놓으니,
뿜어져 나오는 그 분비액, 수액, 그리고 유액의
세찬 신선함
—그 모든 것이 자아내는 단순한 행복,
내 그 맛에 여한 없이 흠뻑 취하노라.
초원은 한 발 한 발 주위를 돌며
차근차근 공격하고 헐어내며
줄여가야 할 하나의 덩어리. 그러나
그 덩어리는 섬세하게 조합되어 있으니,
살아 숨 쉬는 미세한 세계들의 무더기요
형상이 질료를 완전히 압도하는
식물성 우주라네.

오베르뉴

쌍봉낙타의 육봉肉峯처럼 슬픈
죽은 고기 뭉치요
지방질 창고인
어른들의 엉덩이와 반대로,
아이들의 활기찬 엉덩이는
언제나 깨어나 팔딱거리고
때로는 야위고 빈약해 보이지만
어느새 쾌활해져서
천진하게 낙천적,
얼굴처럼 표현적.

—〈마왕〉*에서

* 투르니에가 1970년에 발표한 소설로 같은 해 공쿠르상을 수상했다.

일데생트, 과들루프

Deux femmes à la mer

바닷가의 두 여자

브르타뉴

저물녘에 찾아와 미래의 행복을
꿈꾸는—혹은 외로이 우수에
잠기는—사랑에 빠진 처녀와
자갈 바닥에 퍼질러 앉아서도
그 억센 안락함엔 흔들림이 없는
퐁라베 지방의 중년 부인,
저 둘 사이에는 어떤 차이가 있을까?
어쩌면 그저 삼십 년의 나이 차이?
어쩌면 삼십 년 뒤에는 저 처녀도
아직은 부족한 자신감과
안정감을 쌓아서 자갈밭과
부서지는 썰물과 석양의 눈부심을
다스릴 수 있게 될까?
이건 그저 한갓 정신의 관점일 뿐.
반면에 한낱 추측이 아닌 것이 있다면
그것은 바로 풍경. 그 무슨 기적 같은 조율이
있었기에, 중년 부인의 발밑에는
고즈넉이 빛나는 공허뿐인데
처녀의 주위에는 바위투성이 내포內浦,
격랑의 암초들, 폐허와 소나무들을 머리에 인
가파른 벼랑이 에워싸고 있는가?
두 가지 마음 상태와 두 가지 풍경.

코트다쥐르

La fausse moisson

가짜 추수

기이한 추수. 밀도 보리도 귀리도, 그 밖의
다른 곡식도 아닌, 바람결에 가느다란
깃털 장식을 흔드는 이 긴긴 갈대들.
이 평범한 갈대들—아룬도 도낙스*—은
물기 많은 불모지에 마구잡이로
번식하지만 식용에는 부적합하고
심지어 가장 먹성 좋은 짐승들조차 입에 대지 않는다.
그것은 농사에 대한 조롱, 그러나
가난이 누리는 부드러움과
우아함의 기막힌 사치.
그래도 이 남자는 쉬지 않고 낫질을
이어간다. 이 금빛 갈대 몇 아름이면
그의 초가집 지붕을 이을 수 있기에.

* 프랑스에서는 흔히 '프로방스 갈대'로 알려진 식물로 그 깃털 장식 같은 꽃이 피는 품종은 매력이 있어 공원에 심곤 하지만 세계 자연보전연맹이 지정한 100대 잡식 식물들 중의 하나다.

네덜란드

Eau vive

흐르는 물

돌연 대지가 생기를 띤다, 번뜩인다,
노래하며 하늘도 조금 반사한다.
샘물이 솟아난 것이다. 물은 대지의
시선이라고 시인*은 말했다.
물의 전능한 부름에
몸뚱이들이 복종한다. 몸뚱이들은
흐르는 원소 앞에 경배하며 넙죽이
엎드린다. 작은 손들은 파닥거리는
물고기가 된다. 입들이 긴 입맞춤을
갈구하며 앞으로 뻗는다. 물은 차디찬
뱀이 되어 온몸을 타고 내려간다. 다른 곳에서는,
주술사가 비를 내리게 해주십사고 땅속으로
사라지는 물의 수면을 깃털로 쓰다듬고, 그래도
가뭄이 계속되면 수면을 송곳으로 긁는다. 그러나
그는 나름대로 꾀가 많고 온갖 거친 힘을 지닌 인물.
한편, 어린아이는 엄마의 품인 양 대지에
찰싹 매달리고, 그의 입은 자양을 공급하고 목을
축여주는 젖을 막무가내로 찾는다.

* 폴 클로델.—원주

사하라사막

아무리 찬미해도 모자랄 것이 엉덩이다.
인간이 지닌 것 중에서도 가장 부드럽고 수동적이고
맹목적 믿음 가득한, 발에 걷어차이고 매를 맞아도
보잘것없는 몸 바침이 운명인, 그 모든 것이 찾아와
은신하는 이 두 쪽의 둥근 물건을, 만약 조물주께서
깜빡 잊고 남자 여자에게 달아주지 않았다고
상상해보라, 그 얼마나 소름 끼치는 일이겠는가.
부끄러워서 제 모습 가리고만 싶은 엉덩이인데
맙소사, 불렀다는 듯 찾아오는 것은 회초리.
제 모든 부드러움 다 바쳐 가장 소리 나는 입맞춤
을 고대하건만
엉덩이를 벗겼다 하면 당하는 건 대부분 가혹 행
위뿐이다.
흔히들 엉덩이는 마조히스트 성향이 있다지만—
아마도 장 자크 루소의 저 유명한 말이 생각나서
겠지—엉덩이는 오직 애정에만 목마르다.

그리고 유념할 것 한 가지. 말이 인간에게서 유별난
총애—인간의 '가장 고상한 반려'로 가장 잘생기고
민감하다는 명성—를 받는 것은 전쟁과 노역에
있어서 말이 수행하는 역할 덕분이 아니다.
그게 아니라, 다만
말이—개, 소, 낙타, 심지어 코끼리와는
달리—엉덩이를 가진 유일한 동물이기 때문이다.
이 장점 덕분에 말은
예외적으로 인간성을 갖춘 동물인 것이다.

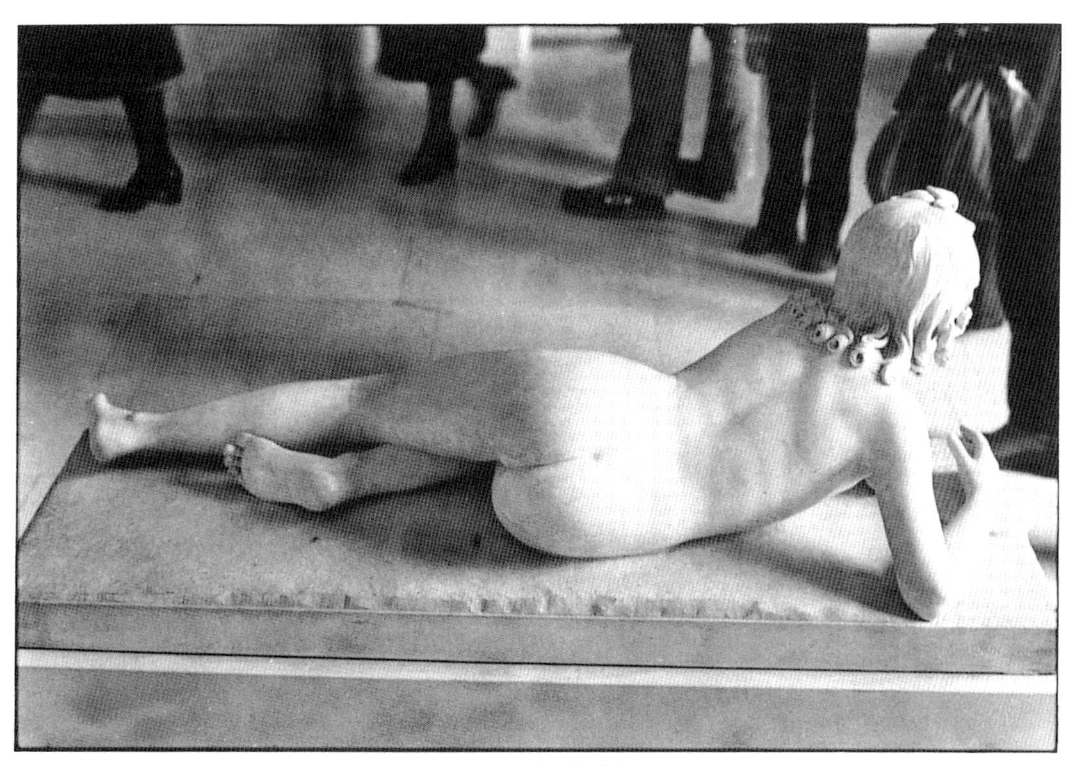

루브르 박물관, 파리

Des bruits de pas

발소리

나 죽거든 사람들의 왕래가 잦고 활기 넘치는
어느 뜰 안에 묻어주고, 산책자의 관심을 끄는, 보기 좋고
기발한 모자이크 장식으로 덮어주기 바라오. 나의 배 위에서
약사의 헌 신발이나 카드점 치는 여자의 슬리퍼 끄는
익숙한 소리, 어린 사내아이들 맨발이 찰싹대는 소리,
줄넘기 돌차기 놀이 하는 어린 계집아이들 신발 부딪는
소리를 나는 듣고 싶소.
이 땅 밑에 몸을 감춘 죽은 이들은 아늑하여라,
흙이 그들을 따뜻하게 감싸주고 신비를 물기 없이
말려주나니. 시인은 이렇게 말했다네.* 그러나
무덤 속의 침묵은 흑판과 같을지니
어린아이들의 낭랑한 목소리와 산 사람들의
발소리가 그 위에 찾아와 기록되리라.

* 폴 발레리의 「해변의 묘지」. — 원주

모로코

L'ellipse

생략법

머리털 치렁치렁, 엉덩이 달린
이 배梨는 어떤 여자아이다. 일종의 도안처럼
생략되고 단순화, 축소되었지만, 그 나름의
아름다움을, 소묘의 아름다움을 지녔다.
그래서 어쩌면 '뒷모습'은 여기서
그 비밀을 드러내는 것이리라. 그 단순함 때문에
오히려 효과적이고, 그 간결함 때문에 오히려
웅변적이고, 그 약점이 강점이 된다.
등이 말을 한다. 그러나 반만, 사분의 일만,
들릴 듯 말 듯
말한다. 이것은 생략, 은연중의 말,
빗대어 하는 말, 암시의 세계다.

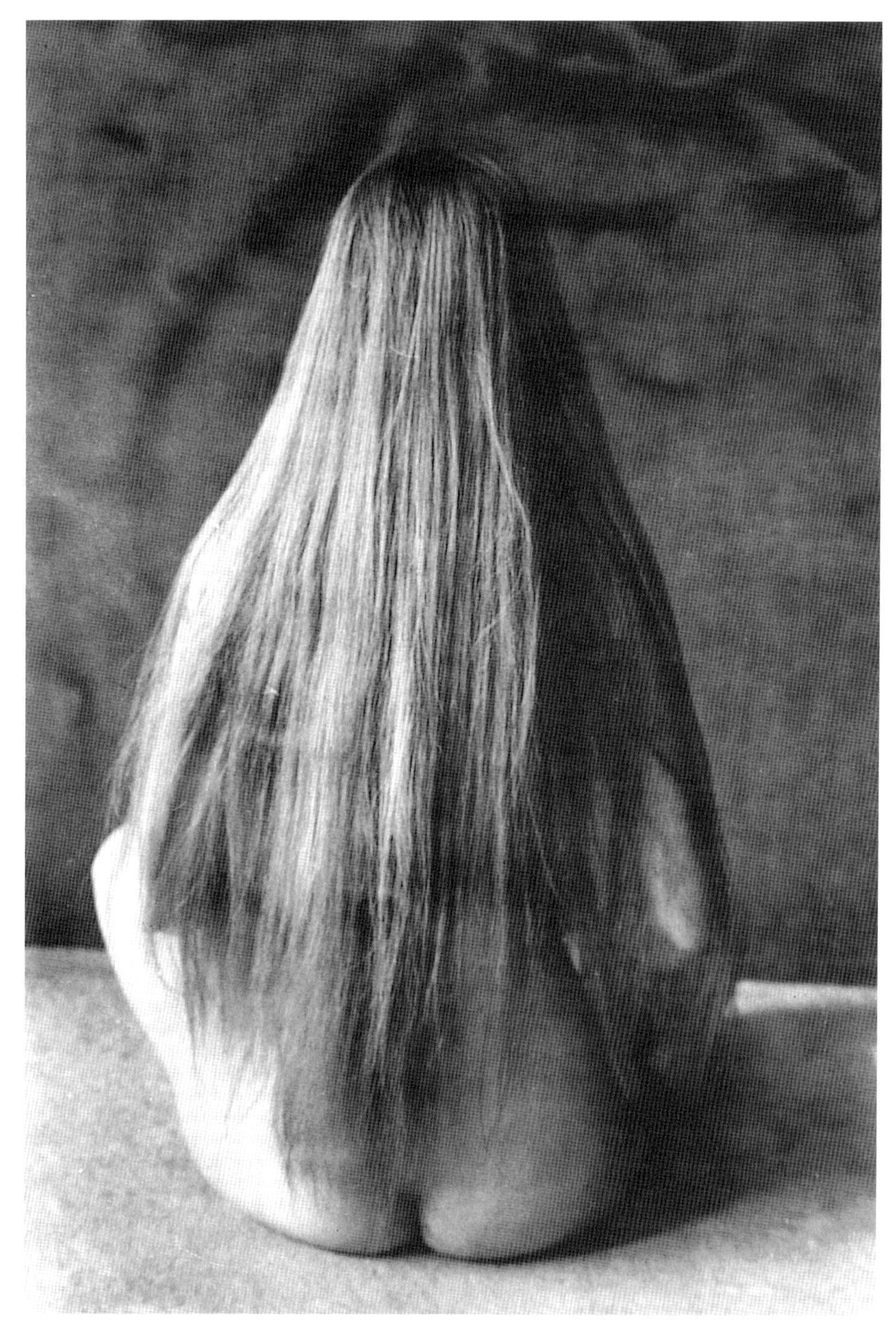

파리

인간의 눈과 코는 정면을 향해 있는데 반해
두 귀는 측면을 향해 있다는—겉귀가 앞쪽으로
방향을 약간 수정하고 있긴 하지만—사실을
주목해보았는가? 그리하여 인간은
자기 앞쪽을 바라보며
좌우로 귀를 기울일 수 있는 것이다.
남들의 바깥소문은
맨얼굴 드러내며 정면으로 오는 것이 아니라
우회적으로 빗댄 소문이나 지방방송으로 주변을
에워싸기 때문이다. 어떤 동물들의 생김새는
그 반대다. 두 눈은 머리의 양쪽 옆에 붙어 있고
두 귀는 전방을 향하고 있다.

그러므로 아주 얌전해 보이는 이 처녀는
겉으론 눈앞의 아름다운 바다 경치에만 관심을
쏟고 있는 것 같지만, 청년이 그녀에게 건네는
말에 귀를 기울이고 있는 것이 분명하다. '작업'과
부두에 배 대기—어원 그대로—는 둘 다 나란히
옆에서 옆을 갖다 대는 측면 접근이다. 청년은
뭐라고 말하는 것일까? 아직은 처녀와의
상당한 거리로 미루어 보아 아주 위험한
내용은 전혀 없는 듯. 어쩌면 여자와 청년이 다 같이
응시하는, 그래서 그들을 하나로
맺어주는 저 아름다운
바다 풍경에 대하여 말하고 있겠지.
잠시 후엔 거리가
좁혀지겠지. 아마도 접촉도 이루어지겠지.
우리에 대하여,
당신에 대하여, 나에 대하여
말하게 되겠지. 심지어 둘 다
입 다물고 말이 없겠지. 가장 내밀한 이심전심인
그 침묵.

포르투갈

우리는 빛이 환한 정경이 내다보이는
창턱 이쪽의 후끈한 그늘 속에 붙잡혀 있다.
장미나무—창유리에 비친 그림자로 두 겹이 되고
전경의 꽃다발로 세 겹이 된—는
눈에 보이진 않아도 짐작은 되는, 햇빛 눈부신
안뜰 정원의 외교 특사다. 그러나
무엇보다 우리에게 중계자 역할을 하는 것은
창턱에 한가로이 앉아 있는
저 큼직한 고양이. 동물들 중에서도
늘 집 안에 들앉아 지내기에 장소의
향유와 소유의 상징인 고양이가
넘치는 빛 속에서 벌레들 잉잉대는
꽃 무더기와 요지부동인 나무들을
우리들의 특사가 되어 거느린다.

프랑스

Destin de femme

여자의 운명

한 여자가 밟아가는 운명의 여정을
말해주는 것 같은 이 두 장의 사진 속에는 왜
이토록 정겹고도 냉혹한 우수가 깃들어 있는
것일까? 약혼, 결혼, 독신 생활…… 마치 해를
거듭할수록 '사막화' 현상—환경론자들의 말처럼—
때문에 여자 주변의 인간적 환경이 황폐해지는
것만 같다. 많은 사람들의 경우, 그들이 당도하는
만년은 돌이킬 수 없는 유배지의 삶을 너무나 닮았다.

보라, 지나간 세월이 철 지난 옷을 입고
하늘의 발코니를 굽어보는 모습을,
깊은 물 저 밑바닥에서 미소 지으며
솟아오르는 회한을,
빈사의 태양이 둥근 다리 아래서 잠드는 것을,
(……)
들어라, 사랑하는 여인이여, 부드러운 밤이
걸어오는 발소리를.

—샤를 보들레르

프랑스

Dos heureux

행복한 등

노동자나 늙은이의 굽은 등이나 신의 위엄에
압도되어 엎드려 기도하는 인간의 굽은 등에
대하여 말한 사람은 분명 많을 것이다. 그러나
이 여름날의 영상들은 우리에게 상기시킨다,
세상에는 행복, 천진난만함, 이기적 사랑의
등도 있다는 것을. 등을 돌리는 몸짓이
나타내는 것은 행복해지고 싶은 의지의
확인인 것을. 분수가 신명 나게 뿜어져 나오는 연못의
둘레 돌 위를 달려가는 아이에겐, 빛을 받아
부드럽고 환하게 날개를 펼치는 마로니에 아래
이심전심 한마음인 연인들에겐, 정말이지
우리는 존재하지도 않는다, 아무것도
존재하지 않는다. 그들은 우리를 바라보기를
거부함으로써 그걸 우리에게 분명히 보여준다.
그러나 그들이 향유하는 순간의 희열이
아주 이기적인 것은 아니어서 어떤 방식으로든
스며 나서 전달이 되는 것이다. 그들의 행복에서
번지는 너무나도 눈부신 광휘가 그들도
모르게, 우리도 모르게, 우리를 감동시키고
마음을 따뜻하게 쓰다듬어준다.

뤽상부르 공원, 파리

Les rêveurs de poupe

고물에서의 몽상

이물이 가없는 수평선을 향해 물결을 가를 때
배의 선수船首는 정복자인 양 용감한 삶의
멋진 상징이 된다.

그렇다면 고물은? 그렇다면 무수한 거품의 푸른
소용돌이를 일으키는 저 양쪽 스크루의
성난 부글거림은? 고물에서 몽상에 잠긴 이들이
골똘하게 빠져드는 구경거리는
그들의 눈앞에서 힘과 에너지와 초인적 위력이
폭발하는 광경. 눈앞에서만이 아니라
난간에 기댄 그들의 팔꿈치 아래서도, 엄청난 진동에
흔들리는 그들의 발아래서도. 그리고 더 멀리서는
소란이 점차 진정되면서 표범 가죽처럼
반점이 찍힌 물결 옷자락이 넓게 퍼진다.
이물과 고물의 이 대립 관계는 어디까지 이어질까?
고물에서 허옇게 끓어오르는 물결의 매혹에는
위협적인 데가 없지 않다. 밤에는 흰 거품에 녹색의
인광이 서린다. 자취 없이 빨려 들어가
사라져버릴 것 같은
갑작스런 죽음의 상념이 밀려든다. 저 무시무시한
활동의 밑바닥에는 허공이 웅크리고 있기 때문이다.
스크루들은 무서운 위력으로 저 엄청난 물 더미 속에
접근하는 것은 무엇이든 끌어들이는
허무의 동굴을 파놓고 기다린다.

영불해협

Paris vu de dos

등 뒤에서 본 파리

파리? 파리라면 단연 에펠탑이지! 샹송은
이렇게 노래한다. 그런데 쓰레기에 대해서는
별로 언급이 없다. 하지만 저마다의 도시는
어쩔 수 없이, 스스로 배출하는 쓰레기의 양과 질에 따라
성격이 규정되는 것. 주민의 인구밀도, 경제적 수준,
노동, 먹고 입는 습관, 축제, 신문,
모든 것이 그 속에 들어 있다. 심지어 주민 각자의
가장 사소한 세목들, 가장 내밀한 비밀들까지도.
약병, 꽁초, 찢어진 편지. 이 모든 자료들을 바탕으로
각 도시의 가장 충실한 '쓰레기 초상肖像'을 작성해도
될 것이다. 쓰레기는 당연히 현재를 연구하는 고고학의
대상이 되어야 할 것이다. 이 보물 광산에는 그 나름의
발굴자들과 금 채취자들이 있어야 할 터. 그러나 그들에게는
얼마나 대단한 용기와 겸손함이 요구될 것인가!

파리

Nuque nue

드러낸 목덜미

물론 젖가슴은 참하고 팔은 통통하고
흘러내리는 등의 선은
조화롭다. 그러나 이 초상에서 눈길을 끄는
것은 단연 목덜미다. 앙드레 지드는
전쟁 전에 독일을 여행하면서 당시의 유행에
따라 드러낸 사내아이들의 목을 보고
"외설스럽다"고 평한 바 있다. 왜냐하면
신체의 이 부분—둥글게 휜 허리와 더불어
가장 확고한 받침점들 중 하나—은 보통
머리털에 가려 있는데, 이처럼 드러내놓는
것은 그 부분에 대한 일종의 폭력 행사가
되기 때문이다. 게다가 사진의 모델이 여성이고
보면 더욱 자극적인 폭력이 된다. 왜냐하면 여기서
한 가지 명백한 역설이 주의를 끌기 때문이다.
이 엉뚱한 헤어스타일로 인하여 아무나 쓰다듬어도
될 것처럼 노출된 목덜미가 더없이 사랑스럽게
여성적이 되고, 사내아이 같은 인상은 사라져간다.

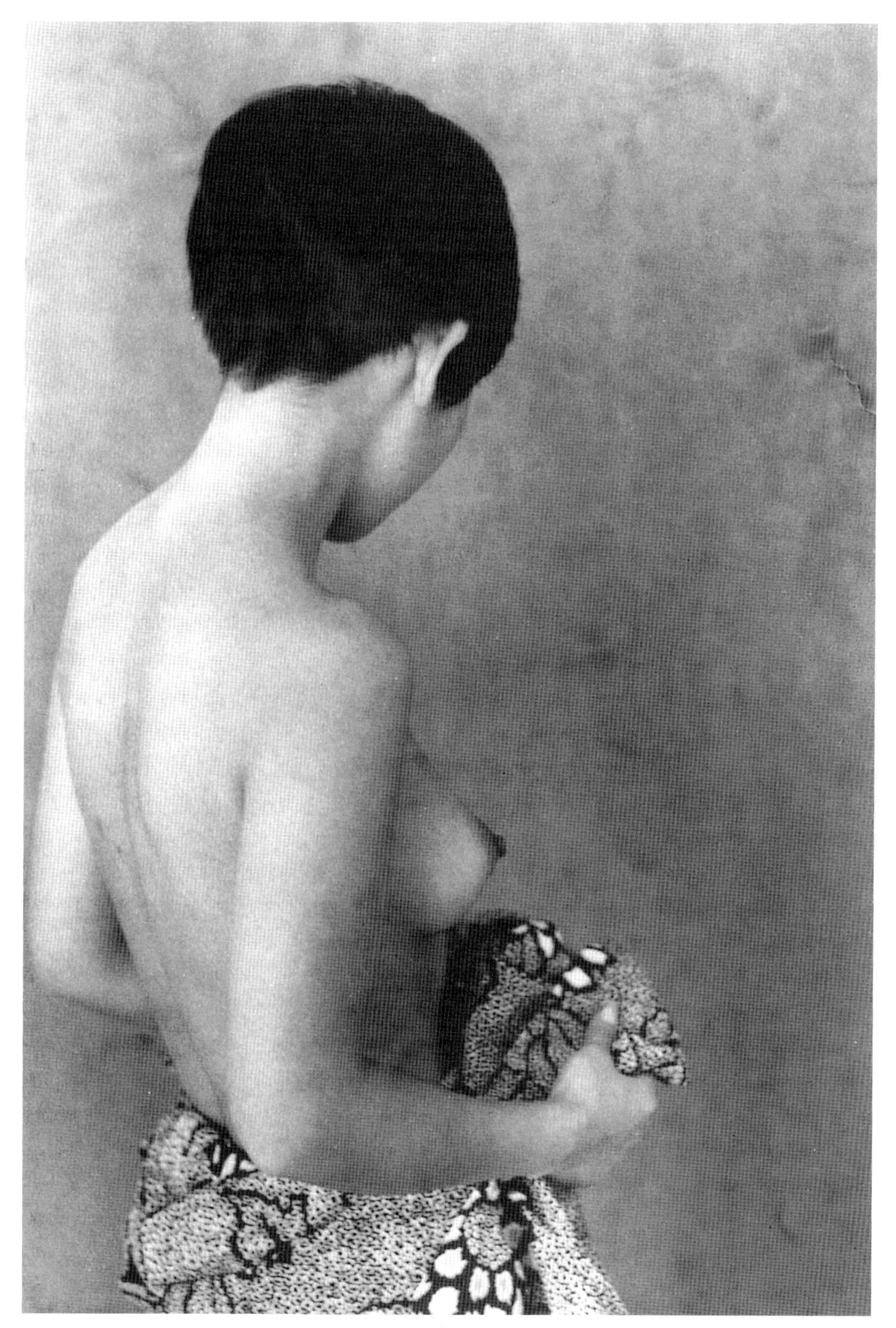

일본

La danseuse

발레리나

서커스의 어릿광대는 계단식 좌석들에 에워싸인
무대 위를 돌아다니므로 우리는 그를
'등으로 연기하는 배우'라고 규정해왔다. 그렇다면
발레리나는? 그녀는 객석 방향으로 한쪽만
개방된 무대 위에서 춤을 춘다. 그러므로 발레리나는
다른 배우들과 마찬가지로 한쪽 모습만 보이는
배우일까? 그래서 어릿광대와는
닮은 데가 없는 것일까? 아니다,
발레리나는 돌고 또 도는 것이다. 그렇게 돌다
보면 자연히 관객에게 등도 보이고
얼굴도 보이고 옆모습도 보인다. 볼트, 투르네,
물리네, 투피 등 무용의 여러 가지 피겨들을
선보이자니 불가불 제자리에서 빙빙 돌 수밖에.
다리의 뒷면은 엉덩이, 허벅지, 장딴지,
발목, 발뒤꿈치가 만들어내는 조화로운
불연속성. 이 다섯 개 층 구조에 축적된
힘은 충동, 도약, 비상을 예고한다.

스톡홀름

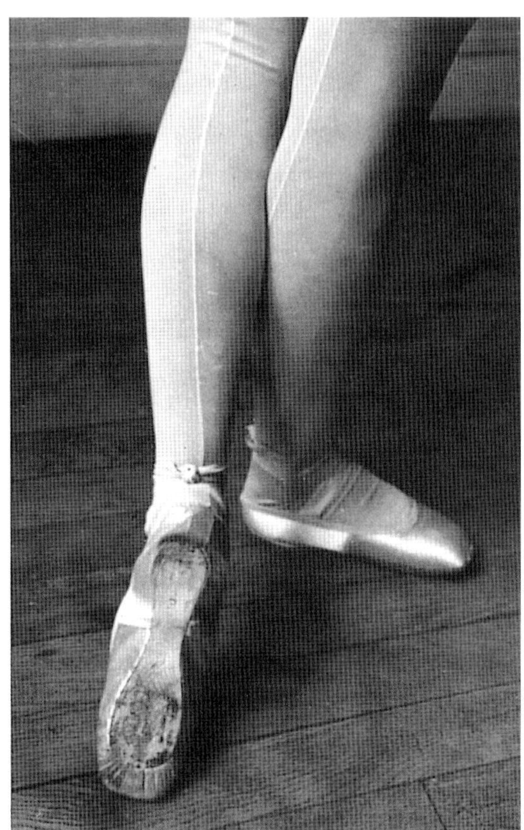
파리

말할 필요도 없이 이 영상은
—아마도 바다mer와 어머니mère라는
두 개의 키워드 사이에 숨은
은밀한 친화력을 더없이 섬세하고
고결한 방식으로 보여주기에—사진술이
발명된 이래 가장 아름다운 영상들 중
하나, 아니, 어쩌면 가장 아름다운
단 하나의 영상일 것이다.

인도

비가 그친다. 검은 구름의 장막이 찢어져
실오라기들로 풀리더니 헝클어진
머리털 뭉치로 변하고, 그 사이로
푸른 틈들이 벌어지며 햇살이
폭발한다. 우리는 스탠리파크에 에워싸인
밴쿠버 해변을 오래도록 산책한다.
물기에 젖은 큰 나무들이
바람에 갈기를 털고, 숲과 이끼 냄새가
뻘과 바다풀의 쿰쿰한 냄새와
격하게 교차한다. 하늘은 빛의 강타,
무너져 내리는 수증기 요새들, 약탈에
내맡겨진 빛의 성채, 눈에 덮인 기병대의
광란의 질주. 부바는 카메라를 겨누어
좋아서 이리 뛰고 저리 뛰는
강아지와 함께 한가로이 산책하는
가족의 작은 실루엣들을 찍는다. 지나던
어떤 사람이 매우 흥분하여 우리에게
일러준다. 바로 저 앞에 있는 바위 위에
돌고래 한 마리가 쉬고 있다고. 밴쿠버에서는
아주 보기 힘든 장면. 그 사진은 내가 찍는다.
아무리 봐도 부바는 동물에 흥미를 갖는
체질이 아니라서. 그의 좌우명은 침몰하는
선박의 용감한 선장들의 그것이니,
먼저 여자들과 아이들부터!
그날 아침나절의 마지막 컷은
날렵한 내 눈 덕분에 거둔 수확. 바닷물에
밀려온 거대한 나무 그루터기 위, 몸체의
길게 파인 홈 속에 어느 잠자는 사내의
몸이 깃들어 있다. 나무 등걸에 감싸이고,
목질의 덩어리와 한 몸이 되어, 어머니 같은
거대한 그루터기에 안기다 못해 거의
그 모습 분간이 안 되는 그 사내,
독일 신화에 나오는 저 삼림 속 괴물들을
연상시키니, 머리털은 잔가지들이요 발가락은
나무뿌리인가. 제목을 붙이자면 〈숲속의 잠자는 미남〉.
땅바닥에 던져둔 포켓북 한 권.

(1972년 9월 『캐나다 여행 수첩』, Les Editions de la Presse 출판사, 몬트리올)

밴쿠버, 캐나다

Les moine-sarchers

수도자 궁수들

내가 거기 있었다! 내 눈으로 직접 보았다. 저 일본
궁수들을. 나는 그들의 뒤쪽에서 등뼈가
탈구될 지경으로 있는 힘을 다해 활을 당기는
그들을 관찰했다. 과부처럼 접시꽃 빛 베일을 씌운
과녁을 향해 화살을 날리며 그들이 내지르는
짧고 목쉰 외침 소리를 들었다. 그들은 배코머리로
삭발하고 승복을 몸에 꼭 끼도록 조여
입었다. 그들이 소속된 종단은 바로 궁수 종단.
나는 화살을 좋아한다.
사랑의 상징, 살인의 상징, 아니면
그냥 일상생활에서는 명령형의 정확한 지시
(화살표 방향으로 따라가시오!).

세바스티아누스는 디오클레티아누스 황제의
궁수부대 대장이었다. 그는 사형선고를 받고
자기 자신의 부하들이 쏘는 화살 앞에 서게
되었다. 그런데 그 그리스 미남 청년의
백옥 같은 몸에 날아와 박힌 모든 화살들 중에
어느 것 하나 치명적으로 명중한 것이 없었다.
겨누어 쏘는
실력이 너무나 미숙하여 너무나 심한 고통만을
줄 뿐 도무지 치명타를 가할 줄 모른다고 부하들을
꾸짖는 대장의 목소리가 들리는 듯. 결국
그를 끌어내어 몽둥이로 때려죽일 수밖에
없었다는데……
나는 화살을 좋아하지만 활을 더 좋아한다. 그 굽힌
나무와 팽팽한 줄, 그 목질의 근육과
삼으로 꼰 힘줄, 살 속
깊이 파고드는 채찍질이나 위협적인 미래처럼, 오직
한 가지 음만 연주하는 그 악기를, 그리고
그 자체로는 두께가 없는 활이 단 하나의
평면으로 보이는 것이 나는 좋다.
저 두 개의 등뼈.
하나는 완벽하고 엄밀하게 대칭인 활과 화살.
다른 하나는 힘껏 당기는 힘 때문에 혹처럼 돌출하여
탈골된 궁수의 척추.

일본

Clowneries

어릿광대짓

어릿광대는 여느 배우들과 같은 연기자가
아니다! 우선, 그는 희곡 작가가 그를 위하여
각본을 써주기를 기대하지 않는다. 그런 건 없다.
전통에 따라 그는 자기가 보여줄 '쇼'를 스스로
지어내야 한다. 즉 작자인 동시에 연기자가 되어야
한다. 셰익스피어와 몰리에르가 그랬듯이. 어릿광대 중
가장 위대한 배우—스위스의 그로크—도 일생을 다
바쳐서야 겨우 해낼 수 있었던 힘겨운 책무다. 그로크가
혼자서 해를 거듭해가며 고치고 보완하여 완성한
쇼는 만년에 이르자 두 시간도 넘는 것이 되었다. 그리고
주목할 것이 한 가지 더 있다. 즉 모든 서커스 연기자들이
다 그렇듯 어릿광대는 원형극장에서 연기한다. 계단식
객석에 둘러싸인 그는 가슴 못지않게 등으로도 연기해야 한다.
사실 그는 일찍부터 깨달았다. 자신의 '등 쪽'도
'얼굴 쪽' 못지않게 희극적이고 눈부신 자산임을. 서커스
천막 속에서는 가발, 악기, 엉덩이, 그리고 발뒤꿈치가
너무나도 성공적으로 제구실을 하므로 어릿광대를
거의 '등으로 연기하는 배우'라 해도 좋을 것이다.

파리

Tutus

튀튀*

꽃은 식물의 성기, 그래서 식물의 매력 포인트.
그러나 그건 은밀한, 무의식적 매력. 그런즉, 꽃향기를
맡을 때, 옷깃에 꽃을 꽂을 때, 혹은 아가씨에게 꽃을
바칠 때, 대체 누가 감히 추잡하고 난처한 그런 기능을
생각인들 하겠는가? 식물은 가장 빛나고 가장 향기로운
것인 양, 제 생식기들을 드러내 보인다. 세상에는
부끄럼 잘 타는 사람과 나체주의자가 있듯
식물에도 은화식물이 있고 꽃식물이 있다.
의심할 나위 없이 튀튀는
그 무성하고 빳빳한 꽃잎들로 해서
발레리나와 장미, 즉 꽃-여성과 유사한
면이 없지 않다.
그러나 여기서는 꽃의 경우와 달리
성의 존재가 도외시될 수 없다. 너무나
명백하게 도발적인 튀튀는
엉덩이를 자랑하듯 내보이고 있으니,
격렬하게 뻗어 나온 장식 밑자락들로
앙큼하게 가리는 체하면서, 실제로는
그 부분에 자극적으로 시선을 모은다.
그것은 무희의 몸에서도
가장 살지고 가장 탱탱한 것의
희고 아련한 폭발이요 순결한 분사噴射일지니.

* 발레용 짧은 스커트.

파리

또 다른 튀튀. 이번에는 검은색.
그리고 이번에도 아가씨는 갈색 머리,
근육질에 각진 몸, 우아하다기보다
효과적으로 힘이 넘친다.
어쨌든, 기술적으로 고난도인
그녀의 자세는 아름답다.
두 손으로 매만지기 쉽도록 끝을
곧추세운 왼발. 그리고 특히
아주 자연스러운 몸짓으로
여자는 우리에게 등을 보인다.
눈에 확 들어오는 부분이 바로 등인데
그 밝고 환한 반점은 거의 거울처럼
천창의 빛을 반사한다. 그녀는
우리 쪽을 향하고 있으면서도
우리에게 등을 보인다.

스톡홀름

L'innocente aux mains pleines

마음이 가난한 소녀는 복이 있나니

어느 가을날 뤽상부르 공원 오솔길에서 문득
포착된 이 연약하고 익살스러운 실루엣은
에두아르 부바의 으뜸가는 사진들 중의 하나
이상으로 성공한 작품이다. 이것은 그의 상표요 도장이요
장서표요 사인이다. 이 사진은 E. 슈타이켄의 유명한
전시회 〈인간 가족〉에 선발되어 대전 직후
전 세계를 순회하며 사진 역사에 한 획을 그은 바 있다.
내 생각에 이 작품의 힘은
거기서 도출되는 이중의, 서로 모순되는
인상에 기인하는 것 같다. 우선, 어떤 유치한
꿈에서 착상을 얻은 것 같은 이 한심한
변장술의 감동적인 어설픔, 땅에 끌리는 이 플라타너스
옷자락, 이 마로니에 잎사귀 드레스, 그리고 또
걸음을 멈추고 선 이 포즈, 이 기다림이다. 기다리다니 무엇을?
어쩌면 변신이 가져올지도 모르는 그 무슨 기적을.
그러면서도 동시에 이것은 변장의 놀라운 성공이기도
하다. 왜냐하면 그 어설프고 한심한 결과에도 불구하고
이 변장술은 이 축소형 여인을 속이 빈
나무뿌리에서 튀어나온 존재, 나무들의 저 높은
잎사귀들에서 툭 떨어진 숲의 요정으로
둔갑시키는 데 성공한 게 분명하기 때문이다.

파리

문득 걸음을 멈춘 존재의 뒷모습

미셸 투르니에는 이제 한국의 독자들에게도 잘 알려진 프랑스 최고의 작가들 중 한 사람이다. 이미 고전이 된 그의 소설 『방드르디, 태평양의 끝』 『마왕』 『황금 물방울』, 단편집 『황야의 수탉』은 말할 것도 없고, 산문집 『짧은 글 긴 침묵』 『예찬』 『사상의 거울』 등의 산문집도 이미 우리말로 번역 소개되어 있다. 따라서 그의 작품 세계를 소개하는 것은 새삼스러운 일이 될 것이다.

박학하고 호기심 많은 이 작가는 소설과 산문 이외에 사진에도 각별한 관심을 가져서 사진작가들의 작품집에 독특한 시각의 글을 붙여 여러 권의 책을 내놓은 바 있다. 사진작가 에두아르 부바와 더불어 여행한 기록인 『캐나다 여행 수첩』(1974)을 시작으로 하여 사진과 사진작가에 관한 글 『가면의 황혼』(1992), D. Appeit, E. Baitel, Cl. Batho, 부바 등의 사진에 붙인 글 『열쇠와 자물쇠』(1983), 그리고 여기에 번역한 『뒷모습』(갈리마르, 1981)이 그것이다. 한편 그는 1987년 12월에서 1988년 2월까지 파리시립미술관에서 여러 사진작가들의 작품들 가운데서 직접 골라낸 사진들로 전시회를 열고 그 카탈로그로 『미셸 투르니에의 이미저리』를 펴낸 바 있다.

그러나 이런 사진집들은 한정판으로 출간된 탓으로 일반 서점에서 쉽게 구할 수 있는 책들이 아니었다. 지난봄, 파리 시청 옆의 거처에 두어 달 머무는 동안 나는 그 인근의 유서 깊은 마레 거리를 자주 산책하곤 했다. 그 골목 안의 꽤 큰 중고 서적상에 우연히 발길을 멈추었다가 문득 마주친 책이 바로 『뒷모습』이었다. 제목은 익히 알고 있었으나 직접 펼쳐보게 된 것은 처음인 그 책을 나는 무슨 보물이나 만난 듯, 손에 넣는 즉시 근처의 볕 좋은 카페테라스에 앉아서 몇 번을 되풀이하여 읽으면서 부바의 아름다운 사진에 눈길을 포개어놓고 있었다. 사진과 글이 주는 매혹, 그리고 그 두 예술가에 대한 애착 때문에 나는 집으로 돌아오는 길로 무작정 투르니에의 텍스트를 조금씩 번역하기 시작했다.

사실 나는 바로 그 며칠 전에 파리 근교 슈아젤로 투르니에 씨를 찾아가 만나고 온 참이었다.

우리들은 그가 펴낸 책들, 그리고 지금 쓰고 있는 책들에 관한 여러 가지 이야기를 나누었지만 이 사진집에 대한 이야기는 한 적이 없었다. 즉시 그에게 전화를 걸어 이 책의 한국어판을 내고 싶다고 하자 그 역시 매우 만족해했다. 한편 사진작가 에두아르 부바는 그의 친구 투르니에보다 한 살 위인 1923년생으로 1999년에 작고했다. 그는 생전에 꼭 한 번 한국을 방문한 적이 있었다. 당시 주한프랑스대사관 문정관의 제안으로 한국인들의 삶의 모습을 담은 그의 사진과 함께 한국 시를 번역하여 내기로 하여 나 역시 그를 만난 적이 있었다. 여러 가지 사정 때문에 그 책의 출판 계획은 애석하게도 성사되지 못했지만 그때 이후 나는 부바의 이름과 그의 작품에 늘 각별한 관심을 가져왔다. 이번에 그의 사진과 투르니에의 글을 나란히 놓은 책을 우리 독자들에게 소개하게 되니 그때의 애석함을 어느 만큼 위안받는 느낌이다.

프랑스 사진 역사에서 중요한 한 봉우리를 차지하는 부바는 파리에서 태어나 에콜 에스티엔느에서 공부했다. 처음에는 사진판화 아틀리에에서 일했다. 1947년에 코닥상을 수상했고 갈르리 '라 윈'에서 브라사이, 두아노 등과 같이 작품을 전시했다. 특히 고급 예술지《레알리테》와 오랫동안 협력한 다음 1967년부터 독립 작가로 활동하면서 1977년 사진 축제 '아를의 만남Rencontres d'arles'을 기획하였고 1984년에는 사진 부문 국가대상을 수상했다.

위대한 예술가의 작품이 아니더라도 '사진'은 낯익었던 세상을 문득 낯설게 한다. 사진이 주는 으뜸가는 흥미는 바로 여기에 있다. 사진은 현실과 같으면서도 아주 다르다. 동적이고 변화무쌍한 현실과 삶을 순간적으로 정지시켜놓았기 때문이다. 잠시 전까지만 해도 살아 움직이던 것이 문득 멈추었다. 영원히 그렇게 멈추어 있을 것이다. 그러나 우리의 기억과 상상력은 그것을 순간적으로 다시 살아 움직이게 할 수 있을 것 같지만 사진은 집요하게 멈추어 있다. 사진의 매력은 우리의 동적 의지에 완강하게 저항하는 그 돌연하고 집요한 정지에 있다.

사진은 낯익었던 세상을 문득 낯설게 한다. 주변의 복잡한 맥락과 이어져 있는 존재와 사물들을 일정한 경계에 의하여 단절, 고립시켜놓았기 때문이다. 사진은 현실의 가없는 바닷속의 작은 섬이다. 그 속의 인간과 사물과 풍경은 현실의 '밖'에 떠 있다. 사진 속의 현실은 문득 꿈이 된다. 우리는 우리의 꿈을 오래오래 바라본다. 그래서 사진은 삶의 한가운데 놓인 종이 위의 죽음이요 구상적 현실 속에서 목격하는 친근한 추상이다.

그런 가운데서도 부바와 투르니에가 보여주는 이 책의 가장 큰 매력은 '뒷모습'이라는 독특한 주제의 선택이다.

뒷모습은 정직하다. 눈과 입이 달려 있는 얼굴처럼 표정을 억지로 만들어 보이지 않는다. 마음과 의지에 따라 꾸미거나 속이거나 감추지 않는다. 뒷모습은 나타내 보이려는 의도의 세계가 아니라 그저 그렇게 존재하는 세계다. 벌거벗은 엉덩이는 그 멍청할 정도의 순진함 때문에 아름답다.

뒷모습은 단순 소박하다. 복잡한 디테일들로 이루어진 것이 아니라 그저 한 판의 공간, 한 자락의 옷, 하나의 전체일 뿐이다. 무희나 패션모델이나 조각상의 벌거벗은 등은 하나의 평면처럼 빛을 고루 반사한다.

뒷모습은 골똘하다. 흑판에 글씨를 쓰고 있는 소녀, 쟁기를 지고 가는 농부, 그림을 그리는 여자, 배를 미는 뱃사람들, 엎드려 기도하는 신자들, 옷을 챙기는 모델, 물통을 들고 부지런히 걸어가는 정원사, 파도를 바라보는 가난한 연인들, 키스하는 남녀, 키 큰 어른들의 등 저 너머가 너무나도 궁금한 어린 천사, 어깨동무하고 즐겁게 걸어가는 두 친구, 저무는 빛을 받아 번뜩이는 저녁 바다를 바라보는 여인, 갈대나 풀을 베는 사내, 엎드려 물 마시는 아이들, 배의 선미에서 소용돌이치는 물결을 바라보는 사람들…… 모두가 골똘하다. 그 골똘함을 얼굴보다 더 잘 나타내는 것이 등이다.

뒷모습은 너그럽다. 그 든든함과 너그러운 등에 의지하고 기댈 수 없었다면 우리는 얼마나 외로웠겠는가. 어머니의 등이 있어서 우리는 업혀서 안심하며 성장할 수 있었다. 그 등이 있어서 소녀는 어린 시절에 이미 곰 인형의 엄마가 될 수 있다.

뒷모습을 보이는 사람은 나와 같은 대상을 바라보는 동지다. 서로 마주 보는 두 사람은 사랑하는 연인일 수도 있지만 서로를 공격하려는 적일 수도 있다. 그러나 내게 등을 보이는 사람은 나와 같은 방향을 바라보며 나와 뜻을 같이하는 동지일 수 있다. 같은 방향, 같은 대상, 같은 이상을 바라볼 때 우리는 이심전심의 기쁨을 맛본다. 그가 보는 바다를 나도 본다. 그가 보는 봄빛을 나도 본다. 그가 떠미는 배를 나도 떠민다. 그가 화폭에 옮기는 파도를 나도 본다. 그가 나아가는 길을 어깨동무하고 나도 함께 간다. 고개를 숙이고 허리를 구부리는 사람은 그의 등을 보이며 예절을 갖춘다. 나를 공격하지 않는다는 뜻이다.

뒷모습은 쓸쓸하다. 나에게 등을 돌리고 가는 사람, 그는 다시 돌아오지 않을지도 모른다. 등을 돌리고 잠자는 사람, 나를 깨어 있는 기슭에 남겨두고 잠의 세계로 떠난 사람은 우리를 쓸쓸하게 한다. 그러나 그 쓸쓸함이 더 아름답고 그 아름다움이 더 애달픈 때도 있다.

사진 속의 이 다양한 뒷모습을 들여다보고 있다가 다시 살아 움직이는 삶의 앞모습을 만나면 즐겁다. 그러나 그 즐거움의 배경에 오래 지워지지 않는 뒷모습들이 더러 있다. 이것이 바로 미적 균형이 아닐까. 에두아르 부바와 미셸 투르니에의 '뒷모습'에는 우리의 눈높이를 올려주는 그 같은 미적 균형이 있다.

슈아젤 마을 사제관의 '뒷모습'

2002년에 처음으로 소개했던 『뒷모습』의 한국어판은 20년 가까운 오랜 시간 동안 독자들에게 꾸준한 사랑을 받아왔다. 이제 이 책 위에 내려앉은 세월의 먼지를 털고 투르니에의 지혜롭고 아름다운 텍스트를 완전히 새롭게 번역하여 새로운 독자들에게 내보낸다. 이 책을 처음 펴낼 때를 전후한 10여 년간 내가 파리 근교의 작은 마을 슈아젤로 찾아가 만나곤 했던 작가 미셸 투르니에 씨는 4년 전인 2016년에 세상을 떠났다. 이제 친절하고 유머 넘치던 그의 웃는 얼굴도 '뒷모습'이 되었다.

2012년 어느 여름날, 잠시 파리에 체류하는 동안 나는 대학 시절 프랑스 친구의 안내로 파리 남쪽 베르사유 근처의 아름다운 수도원 아베이데보드세르니를 찾아가 즐거운 한나절을 보냈다. 파리로 돌아오는 어느 길모퉁이의 풍경이 어쩐지 낯익어 유심히 살펴보니 슈아젤 근처 같았다. 나는 잠시 그 마을을 거쳐 가보기로 했다. 전에는 언제나 파리의 생미셸역에서 교외선 급행(RER) B선 전철을 타고 출발했었다. 종점인 생레미레슈브뢰즈역에 내려 전화를 하면 투르니에 씨가 이내 그의 낡은 자동차를 타고 와서 자신의 집으로 데려가주곤 했다. 몇 년의 세월이 지났지만 조그만 마을 광장이 낯이 익었다. 마을 시청이 나타났고 해묵은 성당이 보였다. 바로 성당에 맞붙은 옛 사제관이 50여 년의 긴 세월을 살아온 투르니에 씨의 집이다. 그의 많은 작품 곳곳에 간결하고 아름다운 이 집의 체취가 배어 있다.

사제관의 대문은 열려 있었다. 주인이 안에 있을 것 같았다. 마치 나를 안내하려는 듯 까만 고양이 한 마리가 여러 번 내 앞을 지나 대문을 들락거렸다. 그러나 나는 방문을 예고한 바 없었고 동행이 있었으므로 그 집 초인종을 누르지 않았다. 그 몇 년 전 마지막으로 만났을 때 그의 얼굴에는 주름살이 자욱했다. 연로한 그를 번거롭게 하고 싶지 않았다. 1980년대 중반『방드르디, 태평양의 끝』으로 처음 이 작가를 소개한 이래 나는『뒷모습』『예찬』『짧은 글 긴 침묵』『외면일기』등 그의 많은 책들을 번역, 소개했다. 8년 전 어느 여름날, 주인을 만나지 못한 채 문밖에서 눈에 담아 내 스마트폰에 오래도록 간직해온 이 집의 '뒷모습'이 투르니에 씨에 대한 나의 '작별의 의식'이 되었다.

2020년 4월
김화영

뒷모습

글 미셸 투르니에
사 진 에두아르 부바
옮긴이 김화영
펴낸이 김영정

초판 1쇄 펴낸날 2002년 9월 19일
개정판 1쇄 펴낸날 2020년 6월 10일
개정판 4쇄 펴낸날 2024년 7월 1일

펴낸곳 (주) 현대문학
등록번호 제1-452호
주소 06532 서울시 서초구 신반포로 321(잠원동, 미래엔)
전화 02-2017-0280
팩스 02-516-5433
홈페이지 www.hdmh.co.kr

ISBN 978-89-7275-174-8 03860

* 책값은 뒤표지에 있습니다.
* 파본은 구입처에서 교환해 드립니다.